JN132363

気になってるん！

03

kazumiさん

kazumiさんと奈良で

ナチュラル系の雑誌をはじめ、企業とのコラボや広告などで活躍されているモデルのkazumiさん。私が彼女のことを知ったのは4年ほど前。「とっても素敵なモデルさんがいる、しかも奈良出身らしい」と、奈良で一緒に働くスタッフに教えてもらったのがきっかけ。〝奈良〟というキーワードに親近感を抱き、いつか、なにかの機会にお仕事できたらと妄想するようになりました。

その後、雑誌で目にする機会がドンドン増えていき、それは私がkazumiさんを意識するようになったというだけではなく、明らかに活躍の場をぐいぐい広げられていたから。雑誌では凛とした表情でポージングしているのに、インスタグラムではユニークな一面もさらけ出していたりして。

当時は、今ほどインスタライブやYouTubeが活発ではなく、なかなか動くkazumiさんを拝見することがなかったので、実際に会ってみたらどんな感じの人なんだろう。誌面で見る印象のようにしっとりされてるのかな。それともチャキチャキお喋りされるのかな。……知れば知るほど、気になる存在となっていきました。

それから数年が経ち、ｋａｚｕｍｉさんとお仕事をご一緒するという妄想が、いつしか具体的になり、ありがたいことに『気になってるん！』にご登場いただくこととなりました。

２０２０年春、世界中が全くもって想像すらできなかった状況になり、実は、予定していたインタビューも先が見えず延期、延期になってしまったという背景がありました。そんな時を経て、無事に奈良でお話を伺えたことには感謝の気持ちでいっぱいです。

さて、たくさん笑って、たくさん喋ったインタビュー、彼女の笑顔とともにぎゅぎゅっと味わっていただけると嬉しいです。

ループ舎 編集部

◎インタビュー内容は二〇二〇年十一月のものです

もくじ

インタビュー

おてんば少女時代

小さい頃からモデルさんごっことかしていたのかな。奈良で暮らしていた学生時代、何に興味があったのかな。気になるｋａｚｕｍｉさんのあれこれ、聞いてみました。

幼少期、モデルになるまで

――聞きたいことがたくさんありまして……。

kazumi　わ〜嬉しいです！　おしゃべり好きだからなんでも聞いてください。嬉しいな〜。

――まず、モデルさんになられるまでについてお伺いしたいのですが、小さい頃はどういうお子さんでしたか？

kazumi　奈良でのびのびと暮らしていましたね。家族に自分がどんな子供だったか聞いてみたことがあるんですけど、なんでも一生懸命にやる子、なんでもやりたがる子だったみたいです。好奇心旺盛でなにに対しても「なにこれっ!?」と興味を示す、そういう子供でした。幼稚園のお遊戯会では、確か木の芽の妖精の役をやったんです。今でもあの時の「あ〜楽しかったな。可愛いお洋服が着られて嬉しかったな」というキラキラした記憶が残ってますね。あと、習い事もたくさんしていて、ピアノの発表会の時に素敵な洋服

を着せてもらえることを楽しみにしていました。

――習い事はいくつくらいされてたんですか？

kazumi　習い事は週5でやっていましたね。そろばん、習字、ピアノ、スイミング、塾……。そういえば、奈良ってみんな塾に通っていませんでした？

小3くらいから、どうしても塾に行きたい！　とかじゃなくていつも遊んでる友達がみんな通っているから私も通うか、みたいな。それで気づいたら、習い事めっちゃ多いやんって（笑）。

――週5ってタフですね。どれも好きで続けてた感じですか？

kazumi　う〜ん。ピアノは先生が優しいのをいいことに、練習とか全然やっていなくて、いつまでブルグミュラーをやっているんだろう……って感じでした。好きなことにはめちゃくちゃ集中するんですけど、ピアノはそんなにハマらなかったんですよね。でも、始めたら続けなきゃいけないっていう真面目な部分もあって。

――真面目！　でも、なんとなく分かります。小学生の頃って辞めるっていう概念がなかったのかもしれないですね。ご兄弟はいらしたんですか？

kazumi　一人っ子です。だからわりと大人と過ごす時間が多かったですね～。祖母が喫茶店をやっていたので、その喫茶店が遊び場みたいな感じで。

――喫茶店、いいですね。

kazumi　今はもう喫茶店はないんですけどね。当時母は働いていたので、学校から直接お店に帰っていて、そこで常連のおっちゃんおばちゃんと喋って過ごしていました。そういう環境だったので、同世代というより年上の人との方が喋りやすかったです。

――人見知りもせずでしたか？

kazumi　そうですね。口は達者って言われていて、kazumiちゃんは口から生まれたんだね、っていわれるくらい。

――毎日何を話してたんでしょうね。

kazumi　その日あったことぜーんぶ喋ってたんだと思います。自転車もシャーってこいでキュンキュン！　って止まったりして。元気で活発でしたね。

――なんだか想像できます（笑）。今のkazumiさんがそのまま小さくなっ

た感じ、想像しただけで楽しそうです。

kazumi　ほんとですか〜。よく喋るのは今も昔も変わらないですね。

――そういえば、教員免許を持ってますよね。それは教師になりたくて？

kazumi　……いやそれは本当申し訳ないんですけど、先生に憧れてという訳ではないんです。実は、母が教師で親戚は皆お堅めな仕事をしていることもあって、公務員は安定しているからいいよっていう話を子供のころから聞かされていたんです。

ピアノと水泳を習っていたのも、小学校の先生だと必須科目だからっていうのもあったんです。実際に私が持っているのは中高の免許なので必要ではなかったんですけどね。そういう親の淡い期待を込めての習い事でもありましたね。

結果的にはモデルという全然違う方に進んで親が絶望するんですけどね。

――絶望ですか。

kazumi　奈良の自然の中で暮らしていたので、家族からしたらモデルってなに!?という感覚だったんです。上京してモデルになりたいって言った時は「そんなん田舎の子が無理やで！　絶対に無理」と言われました。モデルをやりたいっていうのは私にとっては初めての反抗でしたね。

それでも諦めきれずに、自分の思いを伝えているうちに「そんなにモデルをやりたいのなら、教員免許をとってから」と言ってもらえるようになって。それで、もう必死になって努力しました。

――なるほど。

kazumi　家族からしたら、一人っ子だし、奈良にずっと一緒にいてくれるものだと思っていたのに、娘がいきなりモデルをやりたいと言い出したんですから、驚きですよね。親戚も保守的な人が多くて、えっ！　みたいな。申し訳ない気持ちでいっぱいだったんですけど、どうしてもモデルの仕事をやりたいなと思ったから、そこは譲れませんでした。

――モデルになりたいと思ったきっかけはなんだったんですか？

kazumi　小さい頃から、漫画や雑誌をよく読んでたんです。『りぼん』『なかよし』に始まり、『Ｓｅｖｅｎｔｅｅｎ』『ｎｏｎ‐ｎｏ』『ＭＯＲＥ』と続いて。当時はモデルの鈴木えみちゃんや、田中美保ちゃんにすごく憧れて。彼女た

ちが登場している誌面を切り抜いてプリクラ帳に貼ってたりしていましたね。

　で、大学は女子大に通っていたので、コンサバに目覚めたんです。その時に雑誌で梨花さんを見て、この人が着ている服、なんて素敵なんだ！　って衝撃を受けたんですよ。キラキラしてるなって。それで、梨花さんが着ている服が2、3万円とかするんですけど、どうしてもその服が欲しくってバイト代をつぎ込んで買いに行ったりしてたんです。パン屋さんでアルバイトをしていて時給が710円だったから、学生にとっては高すぎる！　と思いながら。

――お〜、頑張って貯めましたね。梨花さんがきっかけだったんですね。

kazumi　そうですね。実際に自分がモデルになりたいと思ったのは大学生になったころだから、やっぱり梨花さんの影響は大きいですね。

　高校生くらいまでは、モデルになりたいというよりかは、とにかくキラキラしたものに憧れていた気がします。モデルとか女優とかのカテゴリもいまいちわかっていなくて、単純に「鈴木えみちゃん、かわいい！」って。自分がそれになるというよりも、なんて可愛いんだ！　って思ってました。今でも可愛い人は好きです。モデルとしてどうというよりかは、人として可愛い〜って反応しちゃいます。

―― 女の子に限らず、赤ちゃんだったり犬だったり、可愛いものはずっと見ていたくなりますもんね。

kazumi まさに、その感覚です。カブキ（kazumiさんの愛犬）も見飽きたことないですもん。

あ、そういえばモデルを志したきっかけなんですけどね……。教育実習での経験もきっかけのひとつなんですよ。当時担当したのは中学2年生のクラスで、とても楽しくて最後の日に色紙とかもらってうるうる感動するくらい充実してたんです。けれど、実習が終わった時に、教師の仕事っていうのは人の人生にすごく影響を与えるなって責任の重さを感じたんです。悩みを相談してきてくれて、みんな懐いてくれて嬉しかったんですけど。生半可な気持ちでやったらダメだなと思ったんです。

先生の一言って意外と覚えていたりするじゃないですか。いいことも、ん!? ていうようなことも覚えているから。そんな経験もあって、私は自分

自身で何か表現している方が向いているなと実感しました。

――確かに、中学生からしたら先生って絶対というか、影響力が大きいですもんね。教育実習の経験も巡り巡ってモデルを志すところに繋がってきますね。

インタビュー

モデルとして生きていく覚悟

事務所に所属したら、モデルの仕事って舞い込んでくるもの？

上京、モデルとして

――実際にモデル活動を始められたのは？

kazumi　大学2年生だったので20歳からですね。今思い返したら非常識な話なんですけど、自分で大阪にあるモデル事務所を調べて、なんとなく気になるなっていう事務所をコンコンコン、と。いきなり突撃したんです。

――アポなしですか!?

kazumi　はい、アポなしで。それが良かったかどうかは別として、無事に所属することができたので、当時の事務所には感謝しています。

――ミス・インターナショナルに出られたのがきっかけではないんですね。

kazumi　きゃ〜。よく調べてらっしゃる！　事務所に所属した後に、そっち系のコンテストもたくさん受けましたよ。その時くらいから東京に行きたいと思ってたんですけど、上京するには何かしらの肩書きがないと厳しい時代だったんです。

私は身長170cmなくて、当時は背の高い方が活躍されていた時代なので……。今は身長が低くても活躍の場はあるんですが、その時は、事務所の方にも「無理だよ」って言われていましたね。事務所に入った時から、身長も高くないし、歯並びも悪くて、お肌も綺麗じゃなかったから「そんな思い描いているような感じの仕事は難しいかもね」って、それはずっと言われていました。だから、オーディションは色々と受けましたね、上京するために。

――時代的にも限られた世界だったんですね。それで、kazumiさんが上京されたのはどのタイミングですか？

kazumi　雑誌の『MORE』と靴下メーカーの「ATSUGI」が企画していた広告の仕事が決まったので、そのタイミングで上京しました。とはいえ、上京してからも雑誌の専属もなかったし、なかなか仕事は思うように出来ていなかったですね。

東京に来て気づいたんですけど、誰もが知っているような雑誌でモデルをされている方は、だいたい「スカウトされて」とか「初めての雑誌は『non-no』でした」とかで、華やかな世界で活躍できるのって本当に一握りなんだなって実感しました。

私は大阪でモデル事務所には所属できたけれど、なかなか雑誌の仕事はなくって。初めての仕事はボーリング場に流れる映像への出演だったし。でも、地方から親の反対を押し切ってまで出てきて、そんな背景があるから逆に頑張れるのかなというのはありますね。

――たくましい！　地方から上京した人って強いですよ。モデルの仕事が軌道に乗るまで、色々と悔しい経験もあったかと思いますが、乗り越え方というか、座右の銘はありますか？

kazumi　そうですね。おっしゃったように最初から思い描いていたように活躍できなかったっていう経験からなんですけど、諦めなければ夢は叶う、コツコツとやれば夢は叶うんだなと30代になって思いました。座右の銘は、小さなことからコツコツと、ですね。

――きよし師匠ですね（笑）。

kazumi　はい、きよし師匠です。モデルという仕事でいうと、当時は仕事内容によって断るというようなことはなくて、なんでもやってきたなっていい

う自信だけはあるんです。雑誌もなかなか決まらなかったし、スーパーのチラシとか、天気予報の背景に流れてる映像のモデルとか、まさに今できることをコツコツ精神でやってきました。

―― 天気予報の背景ですか？

kazumi そうです。まさにさっきロケで撮影した時にチラッとお話ししたと思うんですけど、「南都銀行」さんのCMです。いまでもネット検索したら見れるんじゃないかな（笑）。

―― なんだかこのエピソードもご縁を感じますね。

kazumi ほんとうに。それで、30歳になる直前に雑誌『リンネル』と出会ってナチュラルというジャンルを開拓させてもらうんですけど。それまではキャラが定まってなくて、自分でもどういうのがしっくりくるのか分かってなくて低迷していました。

家族からは「モデル一本で食べていけないなら辞めなさい」「バイトをするんだったら就職しなさい」と言われていたのもあって、やりたいやりたくないは別として、モデルとして食べていくためにはなんでもやっていました。

嬉しいなっていう仕事もあれば、心踊るかわからないけど一生懸命やってみるかっていうような仕事も正直ありました。

そうやってなんでもとにかくやってみようと思って向き合っていたんですけど、そしたらまた何年後かに違う形で一緒にやりましょうって声かけてもらったりして。無駄なことはないんだなって思いました。

――ご家族、愛のムチですね。でもその厳しさがあったからこそ、モデル一本で色々と経験を積まれたんですね。

kazumi　どうにかこうにか、モデル業だけで頑張れました。偶然なのかもしれないですけど、ピンチになったらオーディション勝ちとれるんだなっていうのも実感しました。ここぞの気合いというか。伝わるんでしょうね。振り返ってみれば、親が厳しく対応してくれたことはラッキーだったと思っています。

――そういえば先日、アパレル企業さんとｋａｚｕｍｉさんがコラボレーションされた商品紹介をインスタライブで拝見しました。

kazumi　ありがとうございます。

――誰にも指示されていないのにストールを色々な巻き方で巻いてみたり、すごく商品紹介の意図を汲んでいてこの人はスタッフさんなのかと思いました（笑）。自分が何を求められているかを分かっているというか、スタッフ感覚を兼ね備えているっていうのも、そういう経験ありきなんでしょうね。

kazumi　そう言ってもらえると嬉しいです！　スタッフさんかっていうのはよく言われます。よく喋るからかな。コツコツやっていたらいいこともありますよね。

――モデルとしての転機というか、ご家族に認められたという感覚はありましたか？

kazumi　う〜ん、転機になったのは２０１３年の27歳の時ですね。今の事務所に移籍して、結婚もした年なので。

家族が認めてくれたと感じたのは、車のＣＭが決まった時かもしれません。学生の頃からファンだった松本潤さんと共演するって決まったときに、親戚一同が湧くという（笑）。ＣＭって不特定多数の媒体で流れるので、見ようと思ってなくても目に入ってきたりするし、やはり影響力というか家族の安心感は大きかったと思います。

例えば、地元のご近所の方に「ｋａｚｕｍｉちゃん、モデルやっているみたいやけど何してるん?」ってなった時に伝えやすかったり。とはいえ、自分的にはＣＭが決まったのは嬉しかったけど今までと何も変わってないというか、ＣＭに出られるなんて宝くじに当たるような感覚なんですけど、そこでちょっと風向きが変わったのは確かです。

今ほど、ナチュラルスタイルというジャンルが確立されていなかったんですけど、このあたりから注目されるようになって、そちらにシフトしていったのも今に繋がる変化の第一歩だったと思います。

インタビュー

見られる仕事って どんな感じ？

一般人からすると未知の世界。
モデルとして、どんな日々を送っているのかな。

現在、活躍するモデルとして

――モデルとして外見、内面ともに日々意識してることってありますか？

kazumi 外見でいうと、大阪でモデル事務所に所属した当初、いろいろと努力しました。笑顔で口角がキュッと上がるように割りばしくわえて自己流で矯正したんです。

――お〜！ それで今の口角がキュッと上がったｋａｚｕｍｉさんスマイルが誕生したんですね。

kazumi そうですね。あと、ポージングも練習しました。当時はコンサバな雑誌に憧れていたのもあって、今ではやらないようなダイナミックなキメのポージングを練習してましたよ〜。雑誌を切って貼って、これが１のポーズ、２のポーズ、３、４、５、６って鏡を見ながらポーズの練習。高いヒールの靴を履いて。なんでもパッとやってできるタイプじゃないので、ポージングが身体に馴染むまで時間がかかりました。

──やっぱり、練習するんですね。いきなりカメラの前に立ってポージングできないですもんね。

kazumi　はい。ポージングはめっちゃ練習しました。けれど、最近は、ナチュラル系っていうとスッと立っているイメージですよね。その人のパーソナルな部分が出るというか。その方が自然体で、等身大で、私自身も自分らしいなと思っています。

内面でいうと、オンもオフも自然体を心がけています。

オンだからって気合いを入れ続けていたら疲れますよね。仕事をしている時間の方が長いので、基本的に無理はしない。無理をして取り繕ってもバレるので。例えば「食事はスムージーです」って言うのもね（笑）。バタバタしている時はカップラーメンだっていい！　と思ってます。

──モデルさんも人間ですもんね。

kazumi　そうですよ！　20歳の頃は、周りにどう思われてるんだろうと怯えていたけど、そこは年々自由にできるようになりましたね。自分らしくいること、心地いいと思うこと、を無意識のうちに選択してると思います。

モデルってもちろん外見のメンテナンスは大事ですけど、見た目だけ磨いていればOKとは思っていないんです。写真でパシャって撮られた時に、絶対にその時の気持ちというか心も映ると思うんです。撮られた時の状態が楽しい時はそれも伝わるし。だから、心が健やかでご機嫌でいられること。最近はそこに重きを置いています。

――身体を鍛えるとかは？

kazumi　ぜ〜んぜんっ！　鍛えてないです。でも、体重計は毎日乗るようにしています。唯一の習慣ですね。それと、お風呂には1時間入るとか、歩くとか、無理のない範囲で決めたことはいくつかありますけど、特別に鍛えたりとかヨガに行ったりとかはしていないです。上京した当初はストレスだったと思うんですけど、太って顔がパンパンになってお肌も荒れてしまって。やっぱり、心が健やかだと外見も保たれるみたいで、年々太りにくくもなりました。

――お風呂では何をしているんですか？

kazumi　SNSのコメントを返したりしていますね。いつまでもやっちゃ

うので、移動時間とかお風呂の時間とか、そこは時間を決めてやっています。お風呂に1時間入るのは続けていることで、心が健やかになれる習慣なんです。仕事の前に入って、ベランダに出て太陽浴びて、頑張ろうと思える、やる気スイッチでもありますね。

―― SNSといえば、インスタグラム、WEAR、ブログもされていますが、kazumiさんにとってSNSはどういう存在ですか？

kazumi　ブログは昔からやっていて辞めるタイミングがなくて。小さい頃のピアノといっしょで、辞めることが意外と苦手なんです。最近ブログは出た媒体のお知らせのみになっていますけど。

インスタグラムもWEARも全部自分でタグをつけたりコツコツやっています。フォロワーさんというか見てくれている方がみんな優しい方ばっかりで。平和に続けさせてもらっています。

コメント書いてくださる方も「参考にしてます」とか「コラボのバッグ買いました」とか伝えてくださって、「もう、ほんとうにありがとう！」って私の方が思っちゃいます。交流できる場があるのは嬉しいです。親近感のあるモデルって思ってもらえたら幸せかも。

——ＳＮＳがｋａｚｕｍｉさんにとっての原動力になっていたりします？

ｋａｚｕｍｉ　原動力というようなことではなくて、人の役に立てるっていう喜びが大きいです。モデルで人の役に立てるって何かなと思った時に、「こういう着方があるんだ。こういうのがあるんだ！」って気づいてもらえることかなって。

それにコメントを書くって勇気がいるじゃないですか。少なくとも私に興味を持ってくれている方が書いてくださっているんだなと思うと、お返事しちゃいますね。「着丈何センチですか？」って質問とかも参考にしてもらえて嬉しいなって思います。

基本的に、自分だったらどうかなって考えるんですけど、好きな人から返事きたら嬉しいじゃないですか。で、嬉しいなって思ってもらえることって、やったほうがよくない!?　って思います。

——企業さんとｋａｚｕｍｉさんのコラボレーションは、洋服にとどまらずメガネ、バッグ……といろいろなジャンルで企画されていますが、これだけ

は譲れないというこだわりはありますか？

kazumi　企画内容やブランドさんによって進め方や関わり方が全然違うので、譲れないポイントを一つに絞るのは難しいですね。半年前から動くのもあれば、2、3ケ月で発売というのもあるし。例えば、バッグという漠然としたお題だったり、このバッグの素材と形を考えてくださいっていう具体的なものだったり、本当に色々あるんです。

kazumiという名前は代表で出していただけるんですけど、チームでやっていると思っているので、みんなの意見は聞いて進めるようにしていますね。絶対これは茶色じゃないと嫌だ！　とかはないです。

譲れないこだわり……。少なからずkazumiちゃんが作ったから買いますって言ってくれる人がいるので、本当に自分が愛用したい、心からおすすめだよって言えるものを出すようにしています。あと、洋服だったら着回しが効くもの、長く使えるものがやりたいですってお願いすることが多いです。自分が梨花さんに憧れて洋服を買ったように、学生さんが買いたいと思ってくれた時に手が届くような価格帯も譲れないポイントですね。

――　ここでパン屋さんでのアルバイト経験が生かされるんですね。自分だったら……って置き換えて提案してもらえるその思いは嬉しいですね。

kazumi　学生の頃の私からしたら、本当に高かったんですもん！

たまに、自分のブランドをやりたいんですか？　って聞かれることがあるんですけど、それは考えていなくて、コラボレーションをしていきたいんです。スタッフさんと色々と話しながら商品が生まれていくのが楽しいんですよね〜。ご縁ですよね。

そういえば、はじめましてとか、よく知らないブランドさんとはコラボレーションをしたことがないです。お会いしたことがあるとか、実際に愛用しているとかそういう背景は大事ですよね。「私はここのブランドのこういうところが好きなの！」って言えないものをおすすめは出来ないですもんね。人にも自分にも素直であれ、嘘がないようにと思っています。それもこだわりですね。

――　職業柄、洋服はどんどん増えていくのかなと思うんですが、ワードローブはどうしていますか？

ｋａｚｕｍｉ　毎年パンケーキを販売している「マリールゥ」さんとフリーマーケットをやっているんです。ヘアメイクさんやスタイリストさんとかとチームになって出店していて、みんなと交流できる大事な場のひとつです。2020年はコロナの影響でできなかったんですけどね。トークショーだとお客さんとの距離感がかなりあるんですけど、フリマはほんと近くで喋れるから楽しいです。前に、私の洋服を買ってくれた方が「ｋａｚｕｍｉさん、ポケットにガムはいってました～」みたいなこともありました。

――そうなんですね！　ファンとしては嬉しいですよ、きっと。

ｋａｚｕｍｉ　ガムはちょっと恥ずかしいですけどね。

――30代になって洋服の好みは変わりましたか？

ｋａｚｕｍｉ　プチプラは変わらず好きなんですが、一方で、長く使って経年変化が楽しめるアイテムも愛用するようになりました。歳を重ねると首回りがやせてきたりして、去年着れたはずの服が「あれっ、似合わない！」っていうのも経験済みなんですが（笑）。頑張りすぎず、着心地の良いものを着るようになりました。

書名 気になってるん! 03 kazumiさん

発行 ループ舎

部数 部

定価 1,100円 (本体 1,000円+税 10%)

H.A.B
TEL:03-5303-9495
FAX:03-4243-2748

ISBN:978-4-9909782-5-9
C0095 ¥1000E
9784990978259

H.A.B 取扱品

貴店名

ード

発行

ル

うお声を聞いた時に、何かできることはないかなと探り始めて、インスタライブにたどり着きました。トークショーだとその場所に行かないと聞けないけど、インスタライブだとどこでも見てもらえるし、コメント欄でやりとりがリアルタイムにできたりして、結果的に良かったのかなと思っています。

その後、コラボレーションしたメガネの発売のタイミングもあって「メガネに似合うメイクってみんな興味あるかな。メイクで気分がちょっとでも上がったらいいな。なにか楽しい時間を過ごしてもらいたいな」って考えてたら、これもインスタライブで伝えられる！　って気づいて、ヘアメイクさんに声をかけて実現させたんです。「マスカラを赤色にするだけで印象が変わるんですね！」とかコメントもたくさんもらえて、自粛で気分が落ちている中、楽しんでもらえて嬉しかったですね。

―― なにより、ｋａｚｕｍｉさんがとっても楽しそうにお話しされているから、こっちにも笑顔が届くんですよ。

kazumi　嬉しいです。みんなが楽しんでくれたら嬉しいな、みんなで楽しむことができたらいいなっていう思いがベースにあるんです。あとね、フォ

ロワーの皆さんがめちゃめちゃ優しいんですよ。だから続けていられるんです。ほんと、ありがたいです。

インタビュー

これからの居場所

この先、どんなkazumiさんが
見られるんだろう?

そして青写真

――今後、どんな仕事をしていきたいとかありますか？　例えば女優さんとか。

kazumi　チャンスを与えてもらえるなら。

でも、やりたいっていくら言っても使ってくださる人ありきだなって20代の頃に痛感したんですよ。あの頃は、あれもこれもいっぱいやりたい！　って思っていて、それこそお芝居にもすごく興味があったんです。それで、週に3回くらいレッスンを受けて舞台に出たこともあるんですよ。

――へ～！

kazumi　といっても、すご～く小さい舞台で、身内しか観に来なくって。それはそれでいい経験だったけれど、結果的に私のモチベーションが上がりきらなかったんですよ。

やりたいからってなんでもかんでも手を出して突っ走っちゃうんじゃな

くって、今、自分が求められることを120%で精一杯やる方がいいんだって。求められてないことを無理に今やる必要はないなって。
今やれることをコツコツ一生懸命やることで、明日につながって、一年後につながっていく。やっぱり、今いるココを大事にしないと先がないので。
そうやって頑張った先に、枝葉がついて色々と展開していけたらいいなと思っています。何がきっかけになるかわからないけど、何かにつながっていったらいいなぁと。

——この本を見てくれた誰かが、なにかのきっかけになる場合もありますもんね。

kazumi　そうですね。流れるように。ご縁だなって思うことは多いですから。あ、でも努力しないっていう訳ではなくて、いつチャンスが来てもいいように準備はしてるんです。おしゃべりだったら、滑舌のレッスンとかワークショップに通ったりしていますよ。お声がかかった時に「いけるよっ！」って言えるように。

——2020年はたくさんの人が〝動いているkazumiさん〟を見たん

じゃないですか。

kazumi　ありがたいことに、そうなんです。それで近いうちにＹｏｕＴｕｂｅをやろうと思って。ユーチューバーになるつもりはないんですけど（笑）。

――どんな内容ですか？

kazumi　お洋服のワードローブの紹介だったりとか、暮らしの事や色々と考えています！　モデルさんでやってる人も増えてきていて、ちょっとやってみたいねってなって。色々と企画を妄想したら止まらなくなっちゃって、楽しそうだなって思ったのが一番の理由なんですけど。

あと、プロモーションできる場が増えるなって思ったんですよ。今後も企業さんとのコラボレーションは続いているからそのお知らせも兼ねて。

いつも反省するんですけど、コラボ商品って、有名なタレントさんだったら一撃で完売とかあるけど、私はまだまだで。やっぱりコツコツやっていかないと。写真で見せるより、動いたほうが良さが伝わるんだなってインスタライブで気づきました。それもちょっとあって動画をやっていきたいなって

思ったんですよね。

——コツコツ精神ですね。

kazumi　そうですね。きっと、40代、50代になっても、私はこういう感じでコツコツやっていくと思います！

ｋａｚｕｍｉさんが気になっていること

ｋａｚｕｍｉさんが最近気になっていること。
いろいろと聞いてみました。
思いがけず、ここでも話がどんどん広がって
いきました。

旅の気持ち

奈良、再び

わたしのおうち

もち
はぎ

奈良、再び

kazumiさんが気になっていること

kazumi　地元奈良から離れて10年。離れてみると奈良の素敵さや意外と知らない奈良の魅力が染みてきますね。さっきも撮影で奈良駅からならまち界隈を歩いてきましたが、おしゃれなお店がたくさんできていて、どこも知らないからすごく気になりました。

　東京にいると、奈良の神社に行きたいから、おすすめの場所を教えてくださいって言われることもあって。でも分からないんですよ。それが悔しくって。

　余談になるんですけど……、モデルの先輩のはなさんに「大和野菜ってすごくおいしいよね～」って言われた時に「なにそれ?」ってなって。はなさんは奈良に来た時にいつもスーパーに寄って大和野菜を買って帰るそうで。大和野菜って普通にスーパーに並んでいる奈良産の野菜のことかって気づいた時にやっぱり、知らなかった悔しさというか、奈良好きの方の方がよっぽど知ってるって、ちょっぴり悲しい気持ちになったりして。

―― 大和野菜。確かに奈良で暮らしていたら当たり前すぎてその魅力に気づきにくいかも。

kazumi 2020年の自粛期間の時に野菜のお取り寄せをしたんです。それで、どうせなら奈良のものを取り寄せたいな〜と思ったんですけど、どこが良いのかわからなくて。そもそも八百屋さんサイトすらないんじゃないかって。知らないことが多いから、ちょこちょこ奈良に通って探検したいと思ってます。

誰かの何かの役に立ちたいとはこの仕事をしていく上でずっと思っているので、せっかく奈良出身だから、発信していきたいですよね。離れてみて分かったけど、奈良ってめっちゃいいところですよね。古き良きものや受け継がれているもの、こんなに素敵なのに魅力が伝わってないなって思うことが多いから。

―― みんなのためにという思いが一番ですか？

kazumi 個人的に知りたいっていうのが一番です。それで、私が素敵な場所を知ったから、みんなも知る？　みたいな。書籍でもなんでもいいんですけど、奈良にまつわる何かをやっていきたいなというのは目標。奈良で生まれたからにはっていうのはすごくあります。

奈良の魅力を伝えるといっても、まずは神社と和菓子、あとはお洋服とか靴とか自分が身につけるもの、この3つから掘り下げていこうと思っています。自分が興味のあるものじゃないと続かないし、楽しみたいですからね。

そういえば、2020年は靴下の企業さんともコラボレーションもさせてもらったんですが、自分が関わるまで奈良は靴下産業が盛んだっていうことも知らなかったんです。毎日履いているのに。

靴下の工場巡りも楽しそうですよね。

——靴下の工場巡り、楽しそうですね。神社もお好きなんですね。お子さんの時、神社の存在ってどうでした？

kazumi　今思うと、神社の存在が近すぎて。叔父さんが神主だったりするから、神社が身近なのが当たり前でした。巫女さんのアルバイトも自然の流れでやってたし。

——叔父様が神主さん！　それは身近ですね。

kazumi　はい。奈良で過ごしていた時は気づかなかったけれど、離れてみたらあの環境って良かったな〜って思うことはたくさんあります。

例えば、普通の丘だと思っていたのが実は古墳だったとか、重要文化財だったりとかして。誰かが家を建てるってなって掘っていたら遺跡が出てきて中断しちゃうみたいなこともありましたね。遠足も大仏さんを見て、大仏さんの絵を描いた記憶も残ってます。

……奈良って、最古っていうのも多いじゃないですか。諸説あるけど、国の始まりとか、邪馬台国とか。それも面白いなって思っています。

——和菓子も詳しいですよね。kazumiさんのインスタグラムにたまに奈良の和菓子も登場していますが、情報収集はどこから？

kazumi　奈良に帰ってくるタイミングでインスタグラムで調べることが多いかな。それで、行きたいお店をピックアップしておくんです。お水取りの時期にしかない期間限定の和菓子とかもあるので、見逃さずにですね。それ以外にも、わたあめ屋さんやかき氷屋さんは取材で伺って知りました。

——和菓子好きはいつから？

kazumi　和菓子が好きになったのは祖父母の影響が大きいと思います。祖父母と過ごす時間が多かったから、お饅頭とかお煎餅とかおやつに出てくるんですよ。洋菓子は特別な時とか誕生日にっていうイメージで、和菓子を食べていると落ち着くんですよね。

奈良ってお饅頭屋さんも多いですよね。きなこ団子が有名な奈良の「だんご庄」さんもソウルフードで大好き！　賞味期限が短くてもたないから東京にお土産で持って帰れないんですよね。でもその奈良でしか食べられないっていう貴重さがまた魅力ですね。

さっき「優月」さんで買ったよもぎ餅も美味しいですね。とろける〜。

わたしのおうち

kazumiさんが気になっていること

kazumi　実は近々引っ越しを予定しているので、家づくりが今一番興味ありますね。

―― 家づくり!?　一軒家ですか?

kazumi　あ、マンションです。ヴィンテージマンションへ引っ越します。今は都会的なマンションに住んでいて、立地的にも便利で好きなんですけどね。自粛期間を経験して生活が一変したので、おうち時間も豊かにしていきたいなと思ったのがきっかけです。なんかマッチしないというか、暮らしにスポットを当ててみた時に、家にいる時間が楽しいか?　心地良いか?　を考えていたら、ちょっと違うかなと思って。

―― ヴィンテージマンション、素敵ですね。自粛期間がきっかけとおっしゃいましたが、年齢を重ねて好みが変わった部分もあったりしますか?

kazumi　それもありますね。34歳の今の自分にマッチするところに住んでみようと。将来的に、もし子供ができたらまた引っ越すかもしれないし、心の赴くままに、です。

引っ越し先は賃貸だから、家づくりといっても限られているけど、賃貸だからこそできることをやりたいです。例えば家具だったら、長く使えるもの、経年変化が楽しめるもの、ヴィンテージの家具をちょこちょこ増やしていこうかなって。

――そのフットワークの軽さ、いいですね。

kazumi　もともと、アクティブな性格だったから家にいるというよりかは、時間があればお出かけしたいタイプだったんです。だけど、コロナでちょっと考え方も変わってきたんです。

家でゆっくりするのも悪くないなって気づいて、せっかくなら、おうち時間がさらに豊かになればいいなっていう思考回路です。

――引っ越しの主導権はｋａｚｕｍｉさんですか？

kazumi　１００％私ですね。今のマンションは分譲で買っていたので、引っ越し案を出した時、旦那さんは「えっ？」ってなってましたけど。

――「えっ？」てなりますよね。今暮らしている部屋は誰かに貸したりするんですか？

kazumi　今のマンションは売っちゃいます。また戻ってくる可能性より、さらにまた違うところに引っ越したくなっている可能性の方が高そうなんで。それで先日、うちの部屋を内見に来られた方がいらっしゃったんですけど、インスタライブなみに説明しちゃいました。近所に何があって便利だとか、ピーチクパーチク。

――めっちゃ楽しそうですね、その内見。

旅の気持ち

kazumiさんが気になっていること

kazumi　旅行は好きなので、今の状況が落ちついたら沢山旅に出かけたいです。しばらくは日帰り旅や一泊二日などのショートトリップになりそうですけど。

これまでは仕事、プライベート含めて月1ペースで旅行していたんですけど、旅すると毎回気づきがあるし、リフレッシュされます。旅っていいなって、行けなくなって改めて気づきました。

― どんな旅スタイルですか？

kazumi　誰かと行くことが多いんですけど、去年は一人でフィンランドへ行きました。とはいえツアーだから完全に一人ではないんですけど、私はきっと一人でも楽しめるタイプだと思います。海外は言葉が通じなかったり、ぜんぜん違う価値観が体感できるので魅力ですよね。

― 一人でフィンランド、いいですね。ガイドブックで事前に調べていく派ですか？

kazumi　すっごい調べる派！　その場所に合った服を選ぶのも好きです。ご飯もここでこういうの食べて〜とか旅のしおりを作るのも好き。

――旅のしおり!?

kazumi　あんまりやりすぎると引かれちゃうんで、旅のしおりは身内と行く時だけで、友達と行くときは事前に調べて、行きたい場所にはグーグルマップでピンを打っておくんです。お茶しようってなったら、候補を3つぐらい出して「ココは口コミ高かったよ〜」とか。……口コミは見がちですね、すっごい好きで。あとは、インスタグラムでも情報収集します。旅行って限られた時間だから、思いっきり楽しみたいんです。

――そんな友達最高ですね。

kazumi　そう言われると嬉しいです。旅は決まった時から、お土産をみんなに配るまでが旅だと思っています。

――今は海外旅行できないけれど、行きたい場所をストックしたりしてますか？

kazumi　行けない時に見ても仕方がないから見ないです。潔くです！　できないことを悔やむより、今、楽しめることをしたいですね。

そういえば、自粛期間中にＹｏｕＴｕｂｅとかどうぶつの森にハマったんです。逆らわず、流れにのっかるタイプです。

――その流れる精神は大事ですよね。自粛期間中、仕事はお休みになったんですか？

kazumi　イベントの仕事は中止になったんですが、撮影に関して私はそこまで影響はなくて。企業さんとのコラボレーションの仕事も継続していましたね。

改めて、色々なジャンルで仕事をしていて良かったなって実感しましたね。いつも以上に、仕事ありがとう！　働かせてくれてありがとう！　働くって楽しいなって。

撮影がなければないで、新しいものを見つければいいなとも思いました。去るものに関しては追わないかも。例えば、撮影がなくなって空いた時間でインスタライブとかできるし。食べて寝て忘れる、じゃないけど、今できることをしよ〜って。

——もともとそういう性格ですか？

kazumi　年々ですかね。20代の悶々としている時期があったからこそ身についたのかも。この歳になって、ようやく「もうしゃ〜ないものはしゃ〜ない。無理なものは無理！」って、いい意味での開き直りができるようになりました。もともとすごく真面目で、適当とか程よくっていうのができなかったんですけど、白黒つけないことも大事だなと思っている今日この頃です。

——落ち込んだ時、気分を切り替える方法ってありますか？

kazumi　好きなものに触れることかな。嫌なことをずっと引きずらないというか、陰になりそうなときは、和菓子を食べたりね。シンプルだけど大事。

映画『サマーウォーズ』に登場するおばあちゃんの言葉に「一番いけないのは、お腹がすいていることと、ひとりでいることだから」っていうのがあるんですね。その言葉がすごく好きで。だから、落ち込んだ時は誰かといる、美味しいものを食べる、ぐうたらする、お風呂に入る、頑張らない……そんな感じですかね。

あとちょっとだけ弱音を吐いてもいいかなって思っています。信頼できる人にはね。30代になって一人で抱えない、頼ってみるっていうのも覚えました。

モデルという仕事をしてなかったらそんな風に思ってなかったかもしれないんですけど、写真にもその時の心の状態って映ると思うんです。瞬間を切り取られる仕事というか。だから、ご機嫌な時間が長く続けばいいなって思っています。もう、和菓子、カブキ（kazumiさんの愛犬）、和菓子、ご飯っていうサイクルだと幸せです。

―― 和菓子、2回挟むんですね。

kazumi 日々、いい日だったなって締められるのがいいですよね。

今日一日ありがとう！　っていう日もあるけれど、そうじゃない日もある。そんな時は、ラーメン食べて、ビール飲んで寝る！　頑張らない日もつくる。それが正解かわからないけどね（笑）。

編集後記

待ち合わせ場所で出会ってから数秒後、関西弁を話す私たちにつられて、ｋａｚｕｍｉさんの口調が標準語から関西弁に。まずその〝素で話してくれている感〟にグッと親近感が湧いてきました。ロケでの撮影をしながらも、ポンポン話題が飛び出してきて、ケラケラ笑っていて、なんてパワフルなんだろうと感動したのがｋａｚｕｍｉさんの第一印象。

華やかなデビューでもなく、望んだ仕事に恵まれていたわけでもなかったという20代。トントン拍子ではなかったからこそ身につけたコツコツ精神で、今の彼女がある。本誌を読む前に、編集後記に目を通された方は「え、そうなの!?」と思われるかもしれないけれど、そのあたりのお話も、逃さず読んでいただけると、より彼女が愛おしくなってしまうはず。

誌面で見る凛とした印象のｋａｚｕｍｉさん、インスタライブで友達のように喋りかけてくれるｋａｚｕｍｉさん、そして、２０２０年のインタビュー時には「何をしようかな？」と話していたＹｏｕＴｕｂｅのチャンネルを開設して、表情豊かにトークを繰り広げているｋａｚｕｍｉさん、これから先、きっとまた新たなフィールドで違った一面を見せてくれるに違いない。今回インタビューを通して体感した、強い信念とケセラセラを併せ持ったお人柄に、より一層、目が離せない存在となりました。

ループ舎 編集部

kazumi

モデル

『リンネル』をはじめ、女性誌を中心に CM、広告などで活躍中。ナチュラルながらも大人かわいい着こなしに定評があり、インスタグラム（@kazumi0728）や WEAR でも絶大な人気を誇る。初のスタイルブック『kazumi 普段のおしゃれの作り方』（宝島社 刊）も好評発売中。

気になってるん！ 03

2021年4月14日 初版発行

話し手	kazumi
取材・編集	脇阪弘美　服部多圭子
写真	石井なつみ
デザイン	服部多圭子
発行者	宮川 敦
発行・発売	ループ舎
	〒630-8385　奈良県奈良市芝突抜町 8-1
	電話：0742-93-7786　FAX：0742-90-1444
	WEB サイト：www.loopsha.jp
印刷・製本	株式会社シナノ

ISBN 978-4-9909782-5-9